KB096576

쑥부쟁이의 연서

이은자 글·그림 / 여문희·임현희 편집

쑥부쟁이의 연서

이은자　시집

작가의 말

첫 연서를 내면서.
그저 시가 좋아 그냥 씁니다.
쑥부쟁이의 연보라 빛이 좋아서 쓰고
달개비 꽃을 보면 청보라 색이 좋아서 쓰고
눈길 끝의 모든 것들이 눈부처• 되는 순간 쓰고
순간 마음이 일면 연서를 쓰듯 그저 씁니다.
시가 좋아 쓰는 사람의 글에
책장을 넘기시는 손길 끝과 마음 끝이
아련하고 은은한 설레임이셨으면 좋겠어요.
굳이 답을 주지 않으셔도
괜찮아요.
은은하게 언제나 행복하시기를 바래요.

수레국화 피어나는 2024年 5月에

눈부처• - 눈동자에 비쳐 나타난 사람이나 사물의 형상

CONTENT

연서 1 / 설레임

사랑인걸요

마음 주고 말았죠

하늘한 그 손짓에

그 보름밤엔 함박눈 쏟아지고

쟁반같이 둥근 달은
가로등 불빛이

달집태우기 불꽃처럼
쏟아지던
함박눈

버스 정류장에서
막차를 기다리며
헤어지기 싫은
연인들처럼

가로등 불빛을 안은
함박눈은
은하수로
쏟아지는 별 무리

버스는 가버리고

나란히 남겨진
두 사람의 발자국 곁으로
돌아오는 발자국을
겹치며 걸었다

달이 없어도
환한 정월 대보름 밤은
그렇게
깊어가고
가로등 아래
함박눈 만
마음처럼 밤새 반짝였다

사랑이래요

한 발짝이라 생각했는데
이만큼 와버렸어요
사랑이래요

그 여린 모습으로
눈길 마주쳤는데
어찌 그냥 가요

하늘 한 그 손짓에
마음 주고 말았죠
사랑인 걸요

짝사랑

붉게 피어나
물들이지 못하고
애태우다
부푼 마음
까맣게
터져 버리는
봉숭아꽃을 닮았네.

손끝만 스쳐도
터져 버리는
내내 설레는
마음
모르겠지.

유혹

시린 햇살 사이
봄이 가득 묻어와
유혹이다!

어쩌지

차가운 바람도
설렘을 부추긴다

어쩌자고

아직
잔설 위에 눈 내리고
남은 추위
시샘할 건데

어쩔겨

이미 흔들렸는걸
봄은 살풋
내게로 걸어오고 있는 걸.

그런 사람

꽃 같은 사람
있습니다
햇살 같은 미소로
수줍게 웃는 사람
그런 사람 있습니다
서로 이해하려
조용히 생각하고

서툰 사랑에
애가 타는
그런 사람

속상해요
화가 났어요
가만히 표현해 주는 사람

그래서 웃음이
나는 사람

등 뒤에서 가만히
안아주며
미안해요 사랑해요
웃을 수밖에
없는 사람
그런 사람
당신입니다.

답이 없다

미운 너를 안고
시간이 흘러간다

고운 너를 안고
도끼자루가 썩는다

하루에도 몇 번씩
천국과 지옥을
오고 가고

하루에도 몇 번씩
지우고
다시 그리고

아무리 생각해도
사랑스러운 너는
답이 없다.

사랑놀음

이마, 내거.
오른쪽 눈썹, 내 거.
왼쪽 눈썹, 내 거.
오른쪽 눈, 내 거.
왼쪽 눈, 내 거.
오른쪽 볼, 내 거.
왼쪽 볼, 내 거.
코, 내 거.
턱, 내 거.
왼쪽 귀, 내 거.
오른쪽 귀, 내 거.
앵두 같은 입술, 내 거.
다 내 거.
그런 넌, 내 거.

사랑 놀음.

시간이
우리 사랑을 데려가요
해야 할 숙제가
우리 사랑을
자꾸만 훼방 놓아요.

온통

또닥또닥
낙숫물 소리

너의 조잘거림

따뜻한 햇살
너의 품속

부드러운
이 바람

너의
손길

걸음마다 묻어나는
너의 향기

온통 너인 세상

사랑 아닌 게
어디 있겠어.

몸살

마음을 묶어

번지점프를 하듯

사랑을 향해
뛰어내린
대가가

줄타기하듯
그리움을
건너고

분칠한
광대처럼
웃고 있지만

마음은
몸살
중이다

너 라는
　몸살.

그랬었지

사루비아
붉게 타오르고

누구네 집 담장엔
늙은 호박들이
누렇게 퍼질러 앉아
익어가고

그 틈새
호박 잎사귀
밑으로
몰래 커가는
풋 호박처럼
넌
반짝거렸었지

솜털 보송했던
그 계집애
그 머스마는

어느새
늙은 호박처럼 익어가네
겉이야
익어 가지만

마음은
아직도
풋호박

반짝 거리고 싶어.

행여 만나질까
눈길은 담장을 넘는다.

너는

각시는
민들레 꽃반지
신랑은
토끼풀 꽃반지
끼워주며
발그레 물들던
두 볼

하얀 민들레
화관 씌워주던
꼬마 신랑 각시

이담에 커서도
너는
내 각시야
잊지 마

구비 돌아
하얀 민들레 화관처럼
흰머리로 만난
너는

여전히 곱다.

너는 2

곱슬머리
고집쟁이
그 머스마

갈래머리 소녀의
이유도 모르는
콩닥거림

첫사랑이었을까
비껴가 버린 인연

흰머리 넘기며
'이제야 만났네.'

바보야
마음속에만
넣어두지 말고
용기를 냈어야지

시린 웃음만.

연서 2 / 사랑

안겨오지 않을래?

모른 척

살짝 기울일게

먼 사랑

비가 오냐고 물었더니
날씨가 참 좋답니다

혼자서만 그리워하나 봅니다

지내기 어떠냐고 물었더니
잘 지낸답니다

혼자서만 사랑하나 봅니다

몸이 백 리라서
마음은 천리인가 봅니다

여우의 창을 만들어
푸른 하늘에 창을 냅니다

그녀의 미소 대신
흰 구름만 피어납니다.

그렇게 가만히

당신과 내가
씨줄과 날줄이 되어
산다면

어찌
사랑하는 날만 있겠어요

사랑만 해도 모자란
생이지만

미움이 찾아들 땐
살며시 당신 등 뒤로 가
가만히 안을게요
당신도 살며시
등 뒤로 팔 뻗어
가만히 잡아 주세요

성냄이 찾아들 땐
당신 등 뒤에서
가만히
당신 심장 소릴 들을게요
당신은 그냥 잠시
서 있어만 주실래요

둘이서도 외로운 날
가만히 혼자 있거나
당신의 시간을
바라만 볼게요
기다림이 길지 않도록
살며시 다가가
두 어깨 따뜻하게
가만히
안아 줘요
우리는.

눈 내리는 날

엄마, 눈 내린 언덕이
쑥버무리 같기도 하고
팥 시루떡 같기도 해요

함박눈 내리는
창밖을 바라보며
단비가 하는 말

음식을 만드는 것도
먹는 것도 좋아하는
단비다운 표현

따뜻한 이불 속에서
바라보는 눈 쌓이는
창밖은

쑥버무리 향기도 나고
따뜻한 팥 시루떡
구수한 팥 냄새도 나는
것 같아

동치미 나박나박 썰어
한 보시기 들고
나가야 될까 보다.

평행선

함께이고 싶어
지칠까 봐
향기를 잃지 않으려
애를 썼지

타는 가슴 부여안고
흔들어도
향기에 취해
흔들림 모른 척

애가 타
평행선의 뒤틀림
향기는 독이 되어
비틀거리고

두 줄의 평행선은
만날 수가 없단다

살짝
기울일 게
모른 척
안겨오지 않을래?

쑥부쟁이의 연서

민들레가 바람 속으로
가버리고

제비꽃이 터져
달아나고

물봉선도 토라져
숨어버리고

해바라기 짝사랑
멈춰버리면

여린 꽃잎으로
청보라색 연서를 써

향기로운 우표 붙여
당신에게 보냅니다

서리꽃 피기 전에
오신다는 답 주시려나요.

목련

하얀 얼굴
길고 흰 손가락으로
책장을 넘기며
달콤한 목소리로
시를 읽어주던
소녀를 닮은
향기

슬프게
아름다운
봄의 한 자락

늙은 무녀처럼만
지지 말아라

애기똥풀

꽃말은
엄마의 사랑과 정성
몰래주는 사랑

이름을 몰라
뱀 풀이라 불렸죠

저 혼자 피고 지고

작고 예쁘지만
손대면
안 돼

애기똥풀
그랬구나

이름을 불러주지만
섣불리 다가오지
않아요

모르시죠?
얼마나 당신을
사랑하는지

잊기도 그립기도 싫어

잊었을까 싶으면
봄이 오고
넌 다시 피고

눈앞에 두고도
그리우면
떠나가네

같은 색깔
비슷한 향을 만나면
고개 돌리는

미련 없이
속절없이
떠나가는

잊기도
그립기도
싫어

타인

기약 없는
기다림으로
피어나는 상사초처럼

닿을 듯 어긋나도
서로를 품어야
빛을 내야 하는
해와 달처럼

쉼 없이 달려와도
품을 수 없는
파도와 뭍처럼

끝내 토해내야 하는
태양의 뜨거움을 닮은

사랑을 안고
돌아서야 하는

우리는
타인.

팅!

너와 내가
속삭이던 그 밤

별들은 졸다가
별똥별로 떨어지고

허공에 던져진 말들
빗물이 쓸어 치우고

너와 나 사이
겹겹의 세월

바람이 각자의
방향으로 밀어내고

햇살은 유리창에 비친
무지개를 지워버리고

지워진 무지개를 찾아서
길 떠나는 나그네.

연서 3 / 그리움

함박눈　눈사람 되어　눈 녹아지도록　기차는 서지 않네

열차를 기다리는 간이역엔

목련 꽃이
제비꽃이
진달래꽃이
지나가고
장미가 타고
칸나가 타고
라일락이 지나가고
능소화가 고개를 내밀고
나팔꽃 높이 높이
망을 보아도
기적소리 울리지 않네

맨드라미
사위어 가고
쑥부쟁이
구절초가
기다림에 마르고
억새와 갈대가
부대끼며 울어도
기차는 오지 않네
함박눈
눈사람 되어
녹아지도록
기차는 서지 않네.

아사달과 아사녀

아사녀
당신을 간절히
품은 죄로

아사달
당신이 온전한
나의 세상인 죄로

달 그림자
출렁이는 밤마다
길을 나섭니다

달이 차고
이즈러지는
그 연못가

어둠이 내리면
조각배 띄우고

날마다
당신의 그림자만
건져 올립니다.

파도야

부딪쳐 철썩이는
너의 말

끊임없이 밀려오는
몸부림

하얗게 부서지는
그리움

물보라로 젖어오는
눈물

토닥이며
그저 바라만 본다

망망대해…

줄어들 줄 모르는
사모의 마음

밤

바람이
낙엽들과 길동무 되어
골목길 가로등 밑을
지나가고

멀리 있는 당신
당신을 봐도
외롭다

유행가 가사처럼 사랑이
더 깊어가는 까닭일까
빈 잔에 남겨진 입술
자국처럼 쓸쓸해

거품을 가득히 내어
외로움을 지운다
말개진 잔속에
당신과 내가 웃는다.

달이 흐르는 봄밤

달이 흐르는 봄밤엔
벚꽃이
흐르는 달 강을 따라
떠나간다
낮엔 꽃비로 내려
꽃눈으로 쌓이고
밤엔
달 강을 따라
흘러간다
벚꽃 잎을 품은
달강은
서늘한 봄밤을
안고
새벽으로
흘러간다

그리움은

그리움은

재채기

같아

순간

온몸을

다

흔들어

놓거든

헤어화 (꽃비녀)

그리움에 애가 타도
목 쉴리 없는
눈물로 부르는 사랑

못나게 져버린 꽃떨기

가시를 떨궈낸
아름다움으로 기다렸건만
향기가 못 미친 까닭인지

천지엔 복사꽃 흐드러지는데
무심히 돌아선 발길은
복사꽃 다 지도록 돌아올 줄 모르는지

소매 끝 분홍이 물든 그 자리에
항상 머물러 있는 사랑인걸
아시기나 하실는지...

뻐꾸기만 종일 운다.

꽃이 지면

셀 수 없이 많은 꽃잎들이 시들면
셀 수 없이 많은 별이 되어
반짝인다지
그 꽃그늘 아래 우리들의
많은 이야기들도
그 곁에서 반짝여
네가 내 안에서
늘 반짝이나 봐

별이 된 그리움
별이 될 그리움

꽃 피고 지고
별 반짝거리니

그냥저냥
울고 웃으며
살아가나 봐

훗날
별이 되어 만나겠지

그런 날

그날, 그곳.
공기, 그 바람, 냄새
모든 것들이
그 순간 같은 날

화사한 단풍잎
풍경은 눈길 속에
그대로인데
나뭇잎 바삭거리고

익숙한 것들이
선잠에서
깨어난 날처럼
낯설고 서러운

집에 있으면서도
집에 가고 싶다.

사람아, 사랑아

그물에 걸리지 않는 바람 같이
그저 그물을 흔들고 가는
바람처럼

아름다운 꽃도
그림자가 진단다

흘러가는 구름도
해 그림자를 만들며
영을 넘는 데

사람아, 꽃 같은 사람아
사랑아, 바람 같은 사랑아

그늘에 앉아 쉬다가
바람처럼 흘러가자
가끔은
그림자도 지으며.

싫어

위로를 가장한

호기심에

잠시 흔들려

유행가 한 자락을

진하게 마신다

커피 한 잔

햇살이
커튼 사이를 비집고 들어와
눈부심을 만들고

믹스커피 한 잔

그어진 선을 따라
봉지를 찢으면 갇혀있던
옅은 향기가
햇살 따라 돈다

맑고 뜨거운 물을 따른다
옅은 향기를
진한 내음으로 덮으며
커피잔 속에 하루를 젓는다

물 조금·많이·적당히 휘휘 저어
뜨겁게 시작해 서서히 식어간다

식어버린 커피잔을 감싸 쥐고
하루가 저문다.

좋다

책을 많이 읽는 사람보다는
책 속에 스며들 줄 아는 사람이 좋다
읽은 책 내용을 기억하진 못해도
일상의 몸짓에서
책의 내용들이 배어 나오는 사람이 좋다
수레가 득 책을 싣고
떨어뜨리고 가는 사람보다
버스정류장에서
짧은 기다림 속에서
한 장의 책 페이지를 고요히 넘기는 사람이 좋다

그런 네가 참 좋다.

연서 4 / 엄마에게 엄마가

가꾸고 있다
양지녘을
햇살 가득한
엄마인 나는
고아가 되고
머리 허연
우리들은
탯줄이 끊긴
비로소

엄마! 안녕.

엄마!
국화 향기 가득한
아름다운 단풍길 따라
잘 가셨지요?
10월 첫눈은 또
함박눈으로
꽃잎처럼 어찌 그리
탐스럽고 아름다웠는지요

여기까지 오시느라
살아내시느라
애 많이 쓰셨어요
"사람이 그러면 못쓴다!"
예쁜 사랑 가르쳐 주고 가셔서
고마워요

할머니가 된 딸이
어린 날도 안했던 반말로
인사할게요

잘 가요. 엄마!
엄마! 안녕.

탯줄

눈부시게 햇살 좋은 날
화장장 불길 속으로
엄마는 사라지고

탯줄이 툭!

여덟 개의 탯줄이
끊어졌다

재가된 엄마는
81명 자손들의
잔치 같은 분위기 속에
아버지 곁에 묻히시고

비로소
탯줄이 끊긴 우리들은
머리 허연
고아가 되었다

늙은 고아

탯줄이 끊어지고
머리 허연 고아가 되어도
가슴이 불에 데이고 늑골
깊숙한 어딘가부터
불길이 타듯이 뜨겁고
아프다

이승과 저승은 엄연히 다르다고
말씀하시던 엄마께
뒤돌아보지 마시고 밝은
그 길로 휘이훠이 가셔서
꽃 많이 가꾸시며
책도 많이 읽으시고
맨발이 따뜻하게 비단 금침
꽃 이불 덮고
기다림은 짧고
만남은 긴 삶을 사셔요
엄마니까요.

?

에너지 고갈도 아닌 것 같고
가을도 가고
겨울이 오는 까닭인가
도대체 온몸의 나사들이
덜그럭거리고
삐거덕거리고
그냥 평소와 별다른 게 없는데
거울 속의 여자는 여전히
잘 웃는데
주름살이 늘어가는 건
당연한 거고
기름칠을 해야 하나
닦고 조이고
물도 주고
도대체 바람 빠진 풍선 같다
심통 나고
심통 부리고 싶고
발버둥 치며 떼쓰고 싶고
울고 싶진 않고

엄마가 없어서 그런가 봐.

엄마

엄마가 없는 나는
가끔씩 마음을 헛디뎌
휘청거리고

엄마인 나는
단단하려고
날선
미소를 짓기도 하고

엄마가 없는 나는
늦골 깊은 어딘가가
구석이 되어
춥고

엄마인 나는
햇살 가득한
양지 녘을
가꾸고 있다.

엄마의 봄날

"엄마한테 물어봐야지"
생각하다가
아! 여쭈어볼 엄마가 이젠 없지
생각을 거두는 순간은
마음이 서늘해집니다
햇살 좋고
바람 좋은 봄날
조팝꽃 지고
이팝꽃 밥그릇에 고봉으로 담겨
보릿고개 넘어가는 데

"엄마, 해당화가 펴요"

엄마의 산나물 보따리 한 켠에
높은 산
찔레순 시금 한 움큼
꺽어다 주시던
그 햇살
그 바람이에요

알밤의 기도

백화점으로
알밤 사러 다니던
엄마는 장바구니 대신
빨간 양파 망을 들고
밤나무 아래로
장을 보러 간다
알밤 한 개 한 개마다
가족들의
건강을 기원하며
벌레 먹은 밤에겐
이건 엄마소가 먹고
건강한 송아지를 기원하고
흔들고 가는 바람에 떨어지는
알밤에 놀라며
행복을 줍는다

빨간 양파 망엔
엄마의 기도가 담긴
알밤들이 올망졸망 담겨
집으로 간다.

그럼에도 불구하고1

힘들어서 죽지는 않아
하늘에서 명부가 와야 가는 거지
쉴 틈 없이 달렸던 날들

따뜻한 이불 속에 누워서도
녹아서는 안 되는
날선 시간들

봄날 닮은 겨울날을
바늘 끝 같은 겨울날을
주저앉지 않고
감사하며 치러낸 날들

그 또한 지나가고
이 또한 지나간다

그럼에도 불구하고
서로에게
버팀목이 되어 주는
우리들

날마다 새로운 오늘을 산다.

기도 1. 둘이는 그리고 우리는

오빠야 바빠?
숨 크게 세 번 쉬고 들어.

응급으로 들어가는
수술실

마미 들어가기 전에
손 한번 잡자요

잘하고 와

엄니 힘들지 않게
택시 타고 다니셔요

서로의 자리에서
평온하게 애타는 기다림

고마워 고생했어
우린 그 무엇보다
네가 소중해.

기도 2. 나를 위한 기도

애미 애비가 뭔 죄를 지어서
애가 병에 걸렸냐 시던
그 어르신

아무도 없는
수술실 앞에서
무심히 떠오른 그 말

죄를 지어서가 아니고
너무 열심히 살아서 그래요

주먹 굳게 쥐고
온몸에 힘주고

그럼에도 불구하고
웃으며 걸 지게 한바탕
하늘하늘 예쁘게
다시 놀 거예요.

기도 3. 널 기다리는 기도

손가락 발가락 10개씩
눈도 코도 입도 크고 오똑한
머리카락이 까만 아기는
예정일을 이 주일이나 넘기고
태어났지

동그란 까만 눈처럼
오똑한 콧날처럼
앙다문 그 입처럼
야무지게도 삶을 엮어왔지

깐깐한 껍질과는 다른
한없이 여린 속으로
세상을 이만큼 건너오느라
애썼어

세상에 둘도 없이 소중한 너
저 수술실 문이 별 탈 없이 열리고

엄마! 마미!
불러주길.

기도 4. 천사 방귀

레드 썬
마법에 걸린 듯
잠을 자고

주렁주렁 주머니를
매달고
걸음마를 걷는다

귀한 방귀가 나와야
걸음마도 달라지고
맛난 것도 먹으니

천사가 아직 안 왔나요?
천사가 오셨다면서요
축하합니다

하얀 병동에서는
방귀마저도
천사다.

기도 5. 하얀 미로 속에도 시간은 간다

입원하셔야 합니다.
수술실 앞
마지못해 기어가는 시간

긴장 속에 언제 가버렸는지도
모르는 첫날
참 길기도 한 첫날밤

후딱 가버리는
낮 시간
긴 잠 짧게 가버리는 시간들

아직도 어두운 밤

너의 걸음마가
걸음이 되어가는 모습에
하얀 미로 속에도 시간은 간다.

기도 6. 네가 웃으니

네가 웃으니
이제야 보여

너 혼자 걸으니
이제야 보여

감사 와 긴장
두 줄을 움켜쥐고
당기고만 있었는데

네가 웃으니
세상이 다시 웃네

안 그래도
이 예쁜 세상을

더 많이 소중하고
따뜻하게 가자.

기도 7. 하얀 미로 탈출

하얀 미로 속을
탈출

쇼코 스타 비치의 재즈 왈츠
피아노곡으로 가만가만 시작

엄마 엄마의 칼질 소리를 들으니
집에 온 것 같아요

목소리에 생기가 도는 그녀
커다란 눈망울로 생글생글 웃는다

조용하고 편안한 선율로 지우고
익숙한 우리들의 일상으로 덮는다

다시는 가지 말자 섣불리 약속할 수 없고
누구나 가고 싶지 않은 곳

병원은 언제나 하얀 미로 속에
있는 것 같아.

괜찮아요

흔들리니까
사람이고
흔들리니까
인생이래요

꽃도
흔들리며 피고
나무도
흔들리며 자라고

흔들리지 않는 건
없어요
흔들린 다는 건
살아있는 이유예요

넘어지면
일어서고
부러지면
새순이 나잖아요

　　　　　　그러니까
　　　　　　괜찮아요.

학

아름다워서
외롭고

고고해서
슬픈

나는
　내가
　어렵다.

나도
그냥
새 일뿐인데.

괜찮아
　그래서
그런 너를

그러니까
사랑해.

틈. 균열. 1

더 이상 잡은 손이
따뜻하지 않아
틈이 생기고

너의 이야기에
귀를 닫아
균열!

틈 사이로
바람이 들어와
추워지고

균열이 시작된
이야기들은
서걱서걱

숨을 쉬기 힘들어

심장이
멎기 전에
다시

틈. 균열. 2

굳어진
틈새로
실낱같은
빛 한줄기

파사삭
균열
무너져 내린
먼지 위에 푸른 생명 하나

실낱같은 햇살로
꿈을 꿰매고
희망을 기워
햇살 같은 미소

무너져 내린
메마름
곱게 다져
푸른 생명의 노래

그렇게

무겁지 않게
가볍지 않게

깊지 않게
얕지 않게

움켜쥐지 말고
달아나지 않게
가만히

어쩌다 마주치는 순간은
가끔씩
그것이 다 인냥

부스러지지 말고
조용히.

계수나무 아래로

꽃이
숲을 이루는 곳
방림

달 토끼가
계수나무 아래
떡방아를
찧어

잔치를
벌이는
그곳

달 아래
축제가 열리면

당신은
클래식 선율에
몸을 담그고

계수나무 아래
마음 잠시
쉬어 가셔요.

쑥부쟁이의 연서

발   행 | 2024년 5월 20일
저   자 | 이은자
편집사 | 녀분희, 임현희
펴낸이 | 한건희
펴낸곳 | 주식회사 부크크
출판사등록 | 2014.07.15.(제2014-16호)
주   소 | 서울특별시 금천구 가산디지털1로 119
　　　　　　SK트윈타워 A동 305호
전   화 | 1670-8316
이메일 | info@bookk.co.kr

ISBN | 979-11-410-8538-4